Loufane

Pou-pou

kaléidoscope

lutin poche de l'école des loisirs
11, rue de Sèvres, Paris 6ᵉ

Dans une vieille ferme,
près de la forêt,

vivent des poules.
Des poules plus belles les unes que les autres ...

...des poules qui se disputent toutes les faveurs du coq.

Toutes, sauf Lola.

Le coq a beau être amoureux fou d'elle,

Lola en aime un autre.
«Hélas », soupire-t-elle, « la vie est mal faite.»

Lola est triste...

...l'élu de son cœur est venu,
puis il est reparti.

Dans le poulailler
les poules gloussent :
«Ha ha... Hi hi hi! Cotcot...
cot codec. Hi hi hi... cotcot...
codec! Elle est amoureuse!
Elle est amoureuse!
Ha ha ha ha ha!»

« Vous êtes vraiment trop bêtes !
Je pars le retrouver ! » s'écrie Lola.

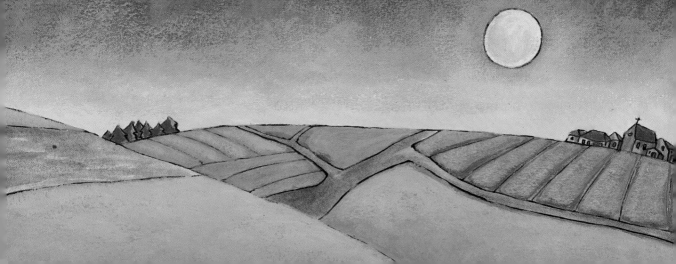

Lola s'enfonce dans les bois,

quand tout doucement, à pas de velours ...

« Pou-poule ? »

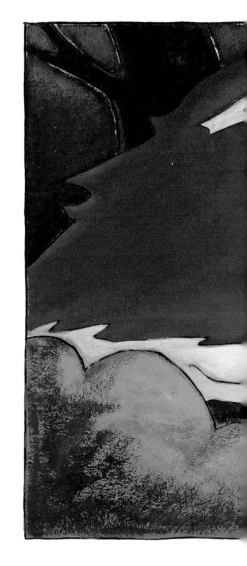

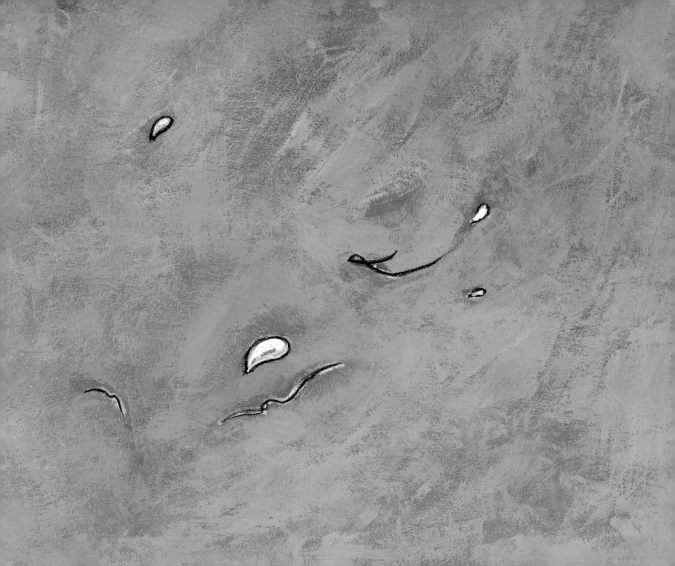

Pour mes parents

Loufane

ISBN 978-2-211-07392-9
Première édition dans la collection « lutin poche » : octobre 2003
Texte français d'Isabel Finkenstaedt
Titre de l'ouvrage original : LOLA
Éditeur original : Clavis, Amsterdam - Hasselt, Belgique
Texte et illustrations © Uitgeverij Clavis, Amsterdam - Hasselt 2001
© 2002, kaléidoscope, Paris, pour la traduction française
Loi numéro 49 956 du 16 juillet 1949 sur les publications
destinées à la jeunesse : mars 2002
Dépôt légal : juillet 2008
Imprimé en France par Mame à Tours